춘 심 이 언 니

춘심이 언니

김
경
희

시집

인생은 뒤돌아보면
허영과 유행에
물들지 않은 그대로가
아름답더라고요
그대!
요즘 잘 지내고
있나요?

차례__

___

1장

_____

천천히 걸어요

2장

옆에서 바라봐줘요

―――
3장

――――――――――――――

춘심이 언니

4장

이제 행복합니다

5장

정성을 들여요

6장

걱정하지 말아요

존재를 증명하듯
언제나 내 목소리를 내고 싶다

나에게 찾아오는
온갖 감정을
다 펼쳐보일 수 있다면
얼마나 좋을까

쓰고 싶은 시

읽고 또 읽어도
무슨 뜻인지
모르는 시 읽은 후,
한 번 읽어도 알 수 있는
쉬운 시 쓰고 싶었다

싱거워서
밍밍한 시 만난 후,
소금 간 맞춰
맛있는 시 쓰고 싶었다

세련되지 않아도 수수한 시

거칠어도 알맹이 있는 시
투박해도 울림 있는 시 쓰고 싶다

心象이 마음에 머무르는 한
거울처럼 정직하고
유리처럼 맑은 시 쓰고 싶다

2024년 3월 28일

雅林 김경희

14

시는

그립고 외로운 맘 달래주고

삶의 지혜까지 깨닫게 하지

천천히 걸어요
시작이 여유로우면
나중에 지치지 않을테니까요

1장

천천히 걸어요

잘 지내고 있나요?

그대여
들에 핀 초롱꽃 바라봐요
어떻게 피어날까 생각지 않고
그냥 피는 게 예쁘잖아요

산속 다람쥐 바라봐요
해 뜨면 무얼 할까 고민 없이
바위 오르고
나무 타며 노는데
활기 넘치잖아요

그대여
요즘 잘 지내나요?
남 따라 하면
가치가 올라갈 것 같지만
세상살이 뒤돌아보면

허영과 사치에 빠지지 않고
유행에 물들지 않은
그대로가 아름답더라고요

우리
하늘을 자주 바라봐요
행복해질 수 있는 일 찾으면서
그냥 편하게 살아요
자신의 꿈과 행복 찾아가며
유유히 들길 걷듯
하루하루 여유롭게 걸어요

세수하는 시간

세면대 앞에 서니
시냇물 졸졸 흐르네요
얼굴에 냇물 찍어 바르고
하얀 비누 문지르니
파란 하늘 떠다니는 뭉게구름
손바닥에 하얗게 피어나요

두 눈 꼭 감고
구름 찍어 바르니
양털 거품 포근하게
얼굴 감싸주네요

세수하는 시간엔
시냇물 흐르는 소리 들려요
두둥실 떠가는 구름 보여요

냇가에서 첨벙거리던
어릴 적 모습 떠올라요
세수하는 지금 내 얼굴
흐르는 냇물 위에 아른거려요

나의 시

하루를 곱씹는 시간
여러 번 되뇌는 생각 붙잡아
실타래에 실 감듯 감아놓으면
혼자 끙끙 앓고
끝나버릴 때 있지만
한 편의 시 되기도 한다

우리가 살아가는 일상에서
보고 느끼는 모든 것을
시로 표현할 수 있다면
얼마나 좋을까

아름다운 말 찾기 위해
이리저리 방황하다
평범한 단어에 싣는

나만의 느낌은
나의 시

시에
사랑 싣는다
그리움도 싣고
인생도 실어본다

익는다는 것

흠씬 익은 홍시
햇살 가득 먹고
벌겋게 달아올라
물컹해졌다

익는다는 것은
세월 속에서 말랑해지는 것

오늘

얇은 치마 하늘거리는
연분홍 벚꽃 닮아
화사한 너
오롯이 수수해
무던함이 싱거울 때도 있지만
깨끗하고 산뜻해
지금 지나가는 날은
바로 오늘
난 오늘이 참 좋아
언제나 지금처럼
담백한 하루
선물해 줘

나에게 필요한 것(1)

서로 나누는 것 많아
따뜻했는데
그런 세상 어디로 갔나

풍요로운데
더 가지려 발버둥 치며
뺏고 빼앗기는 굴레 속 사람들
많이 소유하면 행복할까

맡겨진 것 잘 관리하는
청지기 삶 위해
나에게 필요한 건
정신의 비상

나에게 필요한 것(2)

이제껏 채우며 살았는데
공허한 건
자족하는 마음의 분실

더 채우고 싶어
이리저리 움직이지만
구멍 난 마음 언제나
제 자리

스스로 넉넉한 마음
가지기 위해
나에게 필요한 건
범사에 감사하기

당신 따라가는 길

따라가려 애쓰지 않아도
당신 가신 길 따라갑니다
살아보지 않은 날은
알 수 없기에
정말 몰랐습니다

이때는 이런 마음이었겠구나
저 때는 저런 마음이었겠구나
헤아릴 수 없었는데
흰 머리 내려앉은 뒤에야
당신 마음 알아갑니다

미리 알았더라면
잘했을 텐데 감회(憾悔)하지만
제 나이 되어서야 깨닫는 것
하늘의 이치라 하니

송구한 마음 누그러집니다

이순(耳順)의 마음 이제 알았지만
종심(從心)과 산수(傘壽) 마음
어찌 알 수 있을까마는
흐르는 세월 따라
묵묵히 걷다 보면
당신 마음
전부 이해할 날 오겠지요

*耳順-60세를 이르는 말
*從心-70세를 이르는 말
*傘壽-80세를 이르는 말

세월 그놈 참

돌 녹이고
무쇠 삭힌다는
세월 그놈 참
무정하기 짝없다

기막힌 사연
애끓던 마음
쓸어가 버리는
세월 그놈 참
고맙기도 하다

무정한 것 흠이지만
고마운 세월
행복에 겨워 멈추길 바랄 땐
줄행랑치며 달아나다가도
녹진한 맘으로 힘들어할 땐

할래할래 걸음 늦추니
세월이란 그놈 참
알다가도 모를 놈

그저 세월 앞에 장사 없으니
고개 수그리고 따라가는 수밖에

사랑 그리고 이별

벌겋게 달아오른 용광로
쇠 녹이듯
너로 가득했던 세상
끝없이 이어질 줄 알았는데
식기도 하는구나

사랑은 시간 지나면
더웠다 차가워지는 것

생가지 찢기는 이별 뒤로
눈가 짓무르던 시간
어찌 견딜 수 있을까
도리질했는데

겨울이 봄에, 봄이 여름에
여름이 가을에, 가을이 겨울에

말없이 밀려나듯
단장의 아픔도
시간 따라 서서히 멀어지니

이별은 세월 앞에서
아프다가 괜찮아지는 것

천천히 걸어요

1월에는
시작해야 한다는 말
읊조리는 달이에요

모두 시작하니까
나도 시작해야 할 것 같아서
그러는 거예요

1월에는 시간이
쏜살같이 지나가요
모두가 힘차게 걸어 나가니까요

하지만 1월엔
천천히 걷고 싶어요
우리의 1월은 춥기도 하고

시작이 여유로우면
나중에 지치지 않을테니까요

엄마 마음

그이랑 아침 식탁에서
돌아가신 어머니 얘길 했죠
어머니 뵈러 갔다가
돌아오려 일어서면
언제나 어머님은
자고 가라 붙잡았어요
그때마다 우린
다음 날 출근해야 한다며
어머니 마음 거절하고
밤길 달려 돌아오곤 했었죠
자고 가라던 어머님 부탁
외로움 때문인 줄 알았는데
어둠 속에서 사고 날까 봐
걱정하는 맘이라는 걸
아들딸이 운전하면서 알게 되었죠

물질은 삶을 붙들어 주지만
내 마음 지탱해 주는 건
언제나 어머니 사랑
이런 나를 내가 믿는 신도
질투하지 않을 거예요
신은 모든 곳에 있을 수 없어
어머니를 만들었다는 말
그 말 진짜인 것 같거든요
우리 아이들에게 나도
이런 엄마가 되고 싶었죠
아니 벌써 되고 말았네요
운전할 때 과속하지 마라
신호 잘 지켜라
몸 조심해라
진소리 그릇에 짱짱한 날늘
가득 담으니까요

여행

가벼운 맘으로 떠나
들리는 곳마다 새로워
흥미롭지만
이제 곧
아쉬운 이별 고할 테다

머물렀던 곳 훌쩍 떠나
여기저기 내딛는 걸음
제자리로 돌아오겠다는
소리 없는 다짐이다
두 다리 딛고 있어도
영원히 머물 수 없는
곳이기에

삶을 돌아보면
꿈의 씨앗 아직도 많은데
왜 뿌릴 생각 못했을까?

위에서 내려다 보지 말고
옆에서 바라봐줘요

2
장

옆에서

바라봐줘요

2월에는

2월은 열두 달 중
가장 작은 달이잖아요
꽉 차지 않아서 아쉬워요
하지만 부족해서 좋은지 몰라요
넘치는 것보다 모자라는 것이
더 나은 거라고 하잖아요

2월은 겨울과 봄
두 계절 품고 있어
욕심 많은 달이에요
추웠다가 금세 포근해지는
알쏭달쏭한 달이기도 하고요

3월 기다리는 2월에는
봄맞이 시동 슬슬 걸어볼래요
부릉부릉 부르릉

시동만 걸어도
봄이 올 것 같아요

오직 그대 덕분에

손잡기 전엔 몰랐습니다
그대와 손잡고 나니
귀하다는 걸 깨닫습니다
나 이제 행복합니다
오직 그대 덕분에

멀리 있을 땐 몰랐습니다
그대 가까이 있으니
햇살처럼 따스합니다
나 이제 행복합니다
오직 그대 덕분에

초봄

올 듯 말 듯
망설이는 봄
애틋해서 예뻐

담뿍 내린 눈
원망하지 않고
파르르 떨면서
꽃샘추위 이겨내는 봄
은근해서 사랑스러워

춘심

봄은 화폭에 붓질하는
화가의 손길
복수초 노랑 현호색 파랑
새싹 연두 위에 그려내고
복사꽃 분홍 배꽃 하양
나뭇가지에 발라낸다

봄은 잠든 아이 깰세라
살근대는 엄마 마음
기지개 켜며 돋아나는
여린 새싹 다칠까 봐
살포시 내려오라 부탁했으니
봄비도 가만가만 내렸으리

억센 봄

둑길 돌아 겁 없이 달려오다
주춤주춤
찬 바람에 놀란 가슴
두근두근

꽃샘추위 매섭다고
어디 멈출 봄이던가

빼앗긴 들에도 어김없이 왔었으니
저절로 자라나는 잡초처럼
억센 봄

복사 꽃

여기저기
봄 터지는 소리 나더니
피어나는 복사꽃

가지마다 내려앉은 분홍 망울
누구 마음 삼키려 저리 웃는가

따사로움 샘내는 봄바람에
겨우내 자던 마음 술렁이는데
어서 오라 너울너울 손짓하며
봄 고름 잡아보라 눈짓하네

다가서지 못하는 이유 알면서
슬쩍 웃는 눈웃음에 속 타는 줄 알면서

툭
꽃망울 터트리고 마는
복사꽃 얄밉다

백련사 동백꽃

더할 나위 없이 붉었다가
한순간에 떨어지는
무정한 사랑

그리 쉬이 가려거든
피지를 말지
말없이 떨어져 버리면
난 어이하라고

땅에 떨어져서도 여전히 붉어
지독히 슬픈 동백꽃 사랑

옆에서

위에서 내려다 보지 말고
옆에서 바라봐줘요

위에서 보면
다듬어야 할 것 많지만
옆에서 바라보면
그대 닮은 제가 보일 거예요

위에서 말고
옆에서 바라봐줘요
저도 그댈
옆에서 바라볼게요

청산도에서

청산의 산등성이에
빨갛게 서 있는 우체통
얼마나 느리길래 이름이
느림 우체통일까
편지 넣어두면
달팽이처럼 기어 가려나

하얀 종이 위에
그리움 눌러쓴 단어
엄마 아빠

하고픈 말 적은 종이
느림이 입에 말아 넣고 전화했다
편지 보냈다 말하려고

신호음 울리지 않네
다시 걸어도 신호음 울리지 않아

아!
하늘나라 기지국
고장 난 모양
통신사에 전화해야겠다
어서 고쳐달라고
빨리 고쳐달라고

농담 같은 진담

봄빛 농후한 오후
친구들과 카페에 앉아
농담 같은 진담
진담 같은 농담을 했다

아들 장가보낸 친구,
자식은 어깨 위에 올려놓고
키우던 새
어느 순간 날아가 버리더라

딸 시집보낸 친구,
자식은 항구 떠나가는 배
갈 땐 뒤도 안 돌아보고
앞만 보고 가더라

친구들 얘기 들으며 생각했다

자식은 어떤 존재일까
나에게 자식은 선생 아닐까?
인생의 맛을 가르쳐 주는

남편에게 물으니 망설임 없다
자식은 바로 나
나를 닮아 똑같으니
자식은 바로 나라고 했다

살구나무

집 앞에 오래된 살구나무 한 그루
잔소리하는 이 없으니
사방팔방 제 맘대로 가지 뻗쳐
몸이 방방해졌다
해마다의 삼월이면
살구꽃 하얗게 피워내니
가지마다 청초한 부끄러움 가득했다
지난 겨울 전기톱 든 아저씨
살구나무 가지에 손을 댔다
이쪽 어깨 댕강
저쪽 다리 싹둑
어찌나 속이 상하던지
왜 잘라냈느냐 항의했더니
태풍에 잘 견디라고 정리한 것이란다
이왕이면 예쁘게 다듬어 주지
선머슴 머리마냥

여기 짤뚱 저기 짤뚱
모양은 그렇다 치고
다친 몸 어찌 꽃 피우려나
애태우고 있는데
봄 향연에 기꺼이 동참하며
짧아진 가지마다
은은한 살구꽃 피워냈다
노란 살구 대롱대롱 매달릴
유월이 기다려진다

선물

주었습니다, 달라고 해서
받았습니다, 받으라 해서

주었습니다, 주고 싶어서
받았습니다, 받고 싶어서

주고 나니 뿌듯하고
받고 나니 따뜻합니다

궁금중

그대
지금 어디 있나요
무엇 하고 있나요

그대
지금 어디 있으며
무엇 하고 있는지
알고 있지만

그대
지금 무슨 생각하는지
궁금해서
창가에서 서성거려요

이사

이삿짐 센터에
전화했다
불평불만으로 괴로운 집에서
감사 넘치는 즐거운 집으로
이사 가기 위해서

초승달

까맣게 넓은 하늘
누가 꼬집어 손톱자국 냈나
상처 아문 자리
얇아졌지만
싸움에서 심하게 할퀸
자국이겠지

언니가 살던 집 대문에는
立春大吉 建陽多慶
하얀 종이에 쓴 먹글씨가
봄바람에 펄럭거렸네

3
장

춘
심
이

언
니

스물셋 꽃다운 나이
춘심이 언니가 시집을 갔네

건넛마을 노총각 춘식이 오빠
복숭아처럼 발긋한
춘심이 언니 좋아했네

봄에 태어나 '봄 춘' 자가
이름에 붙은 두 사람
아지랑이 피어나는 춘삼월에
부부 되었네

보리싹 쫑긋거리고
마당에 노란 병아리 자올거릴 때
춘심이 언니가 딸을 낳았네
첫 딸 순이
어찌나 순한지
혼자서도 뒹굴뒹굴
울지도 않고 잘 놀았네
보릿고개 넘으며
배고픈 나날
순이는 포동포동해지는데
춘심이 언니
마른 낙엽처럼 야위어 갔네

이듬해 봄
순이 동생 연이가 태어났네
세간살이 단출하던 방
두 딸과 함께하니 좁아졌네

연년생 딸들 방긋방긋
춘식이 형부 얼굴
웃음꽃 활짝 피는데
춘심이 언니 얼굴
기름기 없이 푸석푸석

딸들 점점 자라나니
먹이고 입혀야 할 것 많아졌네

들판에 곡식 빼곡하고
가지마다 벌건 감 대롱대롱
벼 이삭 누렇게 익은
풍성한 가을 왔네

마을 어귀 널찍한 논
백산 댁네 것
치마처럼 펼쳐진 뒷 논
한수 양반네 것
장독대 옆 감나무
주인집 미자 엄마네 것

땅 있어야 곡식도 내 것
집 있어야 과일도 차지할텐데
춘심이 언니네
가을걷이할 것 전혀 없었네

시골 생활 몸 움직여야
입에 넣을 것 생기니
춘심이 언니 부부
앞집 옆집 뒷집 다니며
입에 풀칠했네

부부의 고단한
하루하루
딸들 방긋거리는
얼굴 보며 이겨냈네
춘심이 언니
아침마다 눈 뜨며
새끼들 위해 더 열심히
일해야 한다고 다짐했네

보릿고개 넘던 삼월 어느 날
춘심이 언니 부부
머리 맞대고 의논했네
두 딸 위해
도시로 나가려고

딸들 위한다는 말
핑곗거리였을 뿐
여기엔 일자리 많다
열심히 일하면 금세 집 산다
도시로 나간 친구 말 듣고
춘식이 형부가 언니를 설득했네
가난이 싫었던 춘심이 언니
두 딸 데리고 형부와 함께
시골을 떠나왔네

도시로 나온 지 두 해
춘심이 언니
두꺼비 같은 아들 낳았다네

춘심이 언니 부부
순이 연이 찬호 위해
오르막길 오르내리며
연탄배달 시작했네

얼굴과 옷 숯검정 묻고
가파른 길 다닐 때 힘들었지만
두 딸과 아들
쑥쑥 자라는 것 보면서
고단한 시간 쉬이 이겨냈네

춘심이 언니 부부는
연탄배달 장수였네
이집 저집 다니느라
일요일도 쉬지 않았다네
고불고불 골목길
깔딱거리는 오르막길
내리지르는 비탈길
두 다리로 다니느라
춘심이 언니 부부
장딴지가 굵어졌네

막내 아들 열 살 되던 해
춘심이 언니네 이사했네

사글셋방에서
전셋집으로 이사하는데
십 년 걸렸다네

이간장방으로 이사하던 날
춘심이 언니
팥죽 끓이며 목이 멨다네

순이 연이 찬호는
방이 두 개라 좋다며
방방 뛰어다녔다네

전셋집 살던 춘심이 언니
욕심이 생겼다네
딸들 시집가기 전에
집 한 칸 장만하고 싶어서
자꾸 허리띠 졸라맸네
춘심이 언니 허리가
개미허리 닮아 갈 때
드디어 집이 생겼다네
으리으리하지 않았지만
아들 방 딸 방
부부 방 생기는데
다시 십 년 걸렸다네
이사하던 날
춘심이 언니는
하늘을 날 듯 좋아했네

집 장만한 지 아홉 달
춘심이 언니가 시름시름
아프기 시작했네

하루는 팔이 아프더니
하루는 말이 어눌해지고
몸에 힘 빠지는 날 반복 되었다네

걷기조차 어려워 병원에 갔더니
의사가 언니 병을
루게릭이라고 했네

춘심이 언니
처음 듣는 단어
천천히 따라 해 보았네
루게릭 루우게릭

집에서 버틸 수 없게 된
춘심이 언니
병원에 입원하고 말았다네
치료받고 집으로 쉬이
돌아갈 줄 알았는데
병실에서 하루하루
2년을 견뎌내다
봄볕 완연한 춘삼월에
조용히 두 눈 감았다네
언니가 살던 집 대문에는
立春大吉 建陽多慶
하얀 종이에 쓴 먹글씨가
봄바람에 펄럭거렸네
춘식이 형부
아내를 땅에 묻고 오던 날
대문 앞에서 한없이 울었네

춘심이 언니는
세상 떠났는데
여기저기 춘심이 언니 보이네
집 사려고 허리띠 졸라매는
춘심이 언니가
자식 뒷바라지하느라
쉬지 못하는 춘심이 언니가
억척스럽게 일하느라
제 몸 돌보지 않는 춘심이 언니가
성공이란 목표 이루려
몸 닳는 줄 모르고
앞만 보고 달리는
춘심이 언니들이
어쩌면 우리는 모두
춘심이 언니인지도 모르겠네

시는
사랑, 외로움, 그리움, 죽음...
인생의 근원적인 문제를
생각해 보게 하는 것

황량한 벌판에서
거센 바람 홀로 맞이했는데
커다란 바람막이 되어
내 앞에 서 있는 그대

4
장

이
제

행
복
합
니
다

수평선

바다와 하늘 맞닿아
내가 너고 네가 나 되는 자리

푸른 바다 하늘 닮아
파르스름 해지고
파란 하늘 바다 닮아
푸르스름해지니
푸르파르 파르푸르

낮이나 밤이나 서로
맞닿아 있지만
우린 언제나 끝없는 수평선

죽음은 눈부신 여인이다

하루는 불같이 맹렬하게
하루는 여유롭게 즐기다가
문득 이런 질문이 떠오른다
죽음을 어떻게 받아들여야 할까

긴박한 환자에게 필요한 7분 때문에
병원 지척에서 자전거로 출근하다
화물차와 마주해 이슬 된 의사 선생님
고단한 몸 뉘며 단잠에 빠진 그들에게
허우대 멀쩡했던 산은 또 왜 그리
장마 앞에 힘없이 주저앉았는지
망가지려면 혼자나 망가지지
물귀신처럼 애먼 사람들 왜 데려갔나
무엇이 그리 지독하게 슬펐는지
오열하며 쏟아시넌 하늘 물 합쳐져
오송의 궁평 지하도 덮치던 날

차오르는 흙탕물 속에 갇히던 그들
갑자기 들이닥친 죽음 앞에서
마지막 순간에 무슨 생각 했을까

결코 천재지변 아닌
인재가 낳은 결과라고
마이크 든 기자 격양된 목소리 내지만
이제와서 그런 말 한다 한들
부모 자식 잃은 이들에게 위로 될까
죽음은 낭만적이고 피상적인 것 아니며
우리에게 주어진 시간은 한정되어 있기에
죽음과 연애하듯 이라는 전제를 받아들이면
슬픔의 두께 조금은 얇아지려나

한낮 지푸라기처럼 하잘것없는 목숨
움직이는 그림자에 불과한 인생

풀잎에 맺힌 이슬처럼
간당간당한 숨 이어가면서도
떨어지지 않으려 애쓰는 인간이란 존재에게
과연 무엇이 의미 있을까

스콧은
죽음이 삶의 의미를 빼앗는 게 아니라
눈부신 여인처럼 의미를 가져다준다고 했다
인생이 영원하다는 인식 때문에
수많은 사람이 허무한 감정에 빠져들지만
죽음이라는 미스터리와 씨름하게 되면
자기도 모르게 삶의 의미를 발견하기 때문이다
죽음과 친숙해질수록 하루하루를
소중한 선물로 받아들이게 된다

자전거 타고 다니셨던 의사 선생님

산자락 밑에서 곤히 잠들어간 이들
궁평 지하도에서 마지막을 맞이했던 그들
눈부신 여인을 맞이하듯 죽음과 마주했으리라
바쁜 걸음으로 먼저 가신 님들
하늘의 별 되어 언제나 반짝이길
공기 되어 그리워하는 이들 포근하게 감싸주길

우리 또한 모두가 그들을 따라갈 것이므로
죽음을 너무 멀리 있다 생각지 말고
선물로 주어진 오늘에
감사한 맘으로 살아가길

다양성에 대하여

꽃이 저마다 향기 있듯
사람도 저마다 향내 있다

장미꽃 닮은 사람 향긋하고
라일락 닮은 사람 그윽하며
자스민 닮은 사람 은은하다

나무가 저마다 다르듯
사람도 저마다 특색 있다

대나무 닮은 사람 대쪽 같고
소나무 닮은 사람 늘 푸르며
참나무 닮은 사람 쓰임새 많다

최종 합격자

딱 한자리 놓고
겨루고 나서
교회 다니는 사람
하나님께 열심히 기도하길
제발 합격시켜 주옵소서

성당 다니는 사람
간절한 마음으로 두손 모으며
꼭 합격시켜 주옵소서

절에 다니는 사람 부처님께
합격 시켜주시면
좋은 일 많이 하겠습니다

종교 없는 사람
하느님 부처님 불러가며

합격시켜 주시면
신실한 종교인 되겠습니다

과연 누가 합격했을까
하나님과 부처님 중
어느 분 힘이 더 쎘을까

최종 합격자는 넷 중에
실력 있는 자 뽑혔다
가장 열심히 노력한 자가

6월이 오면

초목 무성한 유월이 오면
괜찮으냐 묻는 한마디로
그대 흔들어 되살리고
파릇하니 나부끼게 하고 싶습니다

누구나 걷고 있는 순례길
우리를 힘들게 하는 것은
짊어진 삶의 무게 아니라
눈길 주지 않는 차가운 마음입니다

감자꽃 하얗게 피는 유월이 오면
그대 어깨 위에 손 얹고
토닥거리며 말하고 싶습니다
그동안 정말 수고 많았다고

장마(1)

11자 그으며
내려오는 물줄기가
씻어 놓은 세상

깨끗해진 나무 아래
대지는
질퍽하게 물러졌다

장마철만이라도
단단한 내 고집 물렁해졌으면
씻긴 나무처럼 깨끗했으면

장마 (2)

줄기차게 부어대는
장마의 날들
숨조차 쉴 수 없는
가득 차오름

넘치는 것은
모자람만 못하나니
퍼붓기만 하는 사랑
외려 상처다

8월의 기도

매미 소리 우렁찬 8월에도
행복하게 해 주소서

가을을 기다리는 마음으로
설레는 8월 되게 해 주소서

우리의 8월에는
서로 하모니 이루게 하소서

가슴에 전해지는 잔잔한 사랑으로
흩어짐보다는 어울림 속에서
살아가는 의미 발견하게 하소서

더운 하루가 길지라도
단풍 물들 가을 산 기다리며
여유로운 마음 갖게 해 주소서

9월이 오면

秋 문턱에 선 9월이 오면
펄펄 끓던 8월 밀어내느라
수고했다 말해주고 싶어요

떠나가기 싫어
엉덩이 땅에 붙이고 앉아
두 다리 구르며 떼쓰는 8월
어찌 달래서 보냈는지
9월의 설득력 부러워요

9월이 오면
파란 하늘 보러
들판으로 나갈래요
햇살 아래 누렇게 익어갈
벼 이삭 바라볼래요

익어간다는 것은
날줄과 씨줄 엮이듯
참고 기다림이 만들어가는
고된 시간이라는 걸
마음에 새겨볼래요

秋心 1

풍선 되어
둥
뜨는 마음

하늘 바라보다
시린 눈
햇살이 씻어 주는
기분 좋은 하루하루가
쉬이 지나가 버려

열매는 여기저기 가득한데
가을은
아쉽기만 해
너무 빨리 지나가 버리니까

秋心 2

파란 하늘 닮은
아련함이
흩어놓은 씨앗

대지에 움틀이듯
가득 피어나니
어렴풋이
떠오르는 얼굴

보고픈 맘
텅빈 하늘에 그리다가
차오르는
그리움

그대와 함께

그대와 함께 가는 길엔
오직 그대 모습만 두 눈 가득 고여
아무것도 볼 수 없습니다

소녀 같은 코스모스도 보이지 않고
햇살에 반짝이던
은빛 억새도 보이지 않습니다

수많은 나뭇잎으로 치장한
아름드리나무도 보이지 않고
구불거리며 넘어오던 고갯길도
눈에 들어오지 않습니다

보이는 건 오직 내 눈 가득 고이던
그대 모습뿐입니다

밀물과 썰물(선유도에서)

내 마음 밀물 되어
밀려오네
끝없이 함께하며
한없이 주고 싶은 포근함으로

내 마음 썰물 되어
밀려가네
저 너머에 머무르며
다시는 오지 않을 차가움으로

밀려왔다 밀려갔다
지칠 줄 모르고
내 마음 자꾸 들랑달랑 거리네

감기와 사과 두 알

얼마나 깊숙이 박혀버렸는지
아무리 토해내려 기침해대도
뱃가죽만 아플 뿐 나오지 않는 너

대체 언제 나가려나 하다가
그래 뭐 일주일만 있으면 떠나갈 건데
어디 한번 잘 부대껴보자 했다

활화산처럼 뜨겁게 다가와
온몸 흔드는 널 품고
방 한 칸 의지해 홀로 지낸 지
하루 이틀 사흘 나흘

그렇게 불러도 끄떡없더니
잔기침 소리에 이제야 반응하는 너

이제 사흘만 더 지나면
꼬리까지 빠져나와 유유히 사라지겠지

오늘도 비몽사몽 부대끼다 눈 뜨니
아침인지 저녁인지 모르겠는데
식탁 위에 놓인 빨간 사과 두 알
출근길에 나를 위한 남편의 손길
아! 아침이구나

담

그대 있으매
이제 행복합니다

황량한 벌판에 서서
거센 바람 홀로 맞이했는데
바람막이 되어
내 앞에 서 있는 그대

그대 있으매 이제
마음 시리지 않습니다
저도 시린 그대 막아주는
든든한 담이 되겠습니다

상상 목록을 만들고
시 쓰는 행위는
지루한 일상 속에 묻힌
아름다움을 발견하는 것이죠

잘 살아내기 위해서는
이른 아침 눈뜰 때마다
두 손 불끈 쥐고 힘내서
오늘과 마주해야 한다

5
장

정
성
을

들
여
요

가을은 멋쟁이

여름 슬쩍 밀어낸 가을
얼마나 예의 바른 계절인지

억지로 가라 떠밈 없이
그저 자리 비켜주기만
묵묵히 기다리지

가지 않겠다 앙탈 부리며
대지 힘껏 달구던 햇살마저도
가을 앞에서 순한 양 되니

가을은 멋쟁이
여름 물러날 때까지
기다리는 여유로움
겨울에 자리 내어줄 땐 열매를 주는
포근하고 겸손한 계절

가을은

가을은 이렇게 내려와요
환한 대낮엔 따가움으로
아침과 저녁엔 차가움으로

가을은 이렇게 다가와요
괜스레 싱숭생숭
청명한 바람으로 둥둥

가을엔 이렇게 하자고 해요
파란 하늘 닿을 때까지 올라가자
들판의 곡식처럼 머리 숙이자

불면의 시간

커피 안 마시고
낮잠도 자지 않았는데
왜 잠이 오지 않는 걸까

두 눈 질끈 감고 뒤척이다
곤히 잠든 남편 숨소리
발밑에서 코 고는 강아지 소리
어깨 잡아 흔드니
도둑고양이 되어 살금살금
침실에서 빠져나왔는데
생각이 꼬리를 문다

다시 잠을 청해볼까
읽다 만 소설책 펼쳐볼까
시를 써볼까

가을비

시리도록 차가운 비
외로운 마음
더 쓸쓸해져 보라고
저리 차갑게 내리는 것이겠지

바람에 춤추며
어지럽게 내리는 비
외로움에 젖은 마음
표시 나지 말라고
바람 타고 저리
어지럽게 내리는 것이겠지

땡감

시퍼런 땡감 하나
데구루루
왜 저리 일찍 떨어졌을까

하나인 줄 알았더니
여기도 저기도 또 거기도
푸르딩딩한 젊음 안타깝구나

붉게 익어 떨어졌으면
얼마나 달콤했을까
푹 곰삭아 내려왔으면
얼마나 좋았을까

단풍잎

불을 품으면 옷이 타고
벌건 숯불 밟으면
두 발 데이지만
이에 반기 들고 나선 이

화닥거리는 고통일랑
잊어버리고
벌겋게 달아오르자
슬픈 일이랑
묻어두고
시뻘겋게 타오르자

모진 맘으로 견디는
그대는
아름다운
붉은 미인

살아낸다는 것은

어찌 힘들지 않고
생을 살아낼 수 있을까
들에 핀 풀 한 포기
여린 몸 곧추세우려
뿌리 내리는 수고를 하고
한 떨기 붉은 장미
화사한 입술 그리기 위해
이슬 맞느라 새벽잠 설치니
살아낸다는 것은
정성을 들이는 일이다

우리가 살아가는 것 또한
맑은 날은 맑은 대로
흐린 날은 흐린 대로
시련이 있을지니
녹록지 않은 시간

애쓰며 버텨야 한다
잘 살아내기 위해서는
이른 아침 눈뜰 때마다
두 손 불끈 쥐고 힘내서
오늘과 마주해야 한다

더 많이 안아줄걸

어머님 계신 산소 입구에
널 묻고 오던 날
눈물이 폭포수처럼 쏟아져 내렸어
살아선 집 지키던 너
무지개다리 건넌 후엔
집안 산소 지키는구나

19년이란 세월 동안
너와 함께했던 시간 잊을 수 없어
오늘도 그리운 마음에
네 사진을 보고 있어
밖에서 일 마치고 돌아와
현관문 열고 들어설 때면
꼬리 흔들며 반갑게 맞이해 주던 너
지금도 문 열고 들어올 때마다
네가 문 앞에 서 있는 것 같아

언제나 까맣던 너의 눈동자
마지막 순간까지
날 향해 있었지
강아지는 무지개다리 건널 때
눈을 뜨고 가는 거라고
수의사가 말했지만
난 네가 떠나가기 싫어서
눈을 뜨는 줄 알았어

언니 오빠는 그런 널 보며
오열했지만 엄마는 네가
떠나지 않은 줄 알고
자꾸 네 이름 불렀지
진주야
진주야

너를 보내고 나니
내 곁에 있을 때 더 많이 안아줄걸
더 많이 쓰다듬어줄걸
자꾸 후회하는 마음이 들어
그렇게 많이 안아주고
숱하게 쓰다듬었는데 말이야

어제는 널 보고 싶을 때마다 보려고
노트북 화면에 네 사진을 올렸어
노트북 켤 때마다
너는 여전히 날 빤히 바라보고 있어
너의 까만 눈동자 마주하고 있으면
배고프니까 밥 달라고
심심하니까 산책 가자고
꼬리 흔들던 니가 자꾸 생각나
그래도 이젠 하나도 아프지 않다고

말하는 것 같아서
슬며시 미소 짓기도 해

오늘은 날씨가 상당히 추워져서
보일러 틀며 생각했어
우리 강아지 더 추워지기 전에
강아지별로 가서 참 다행이다
춥기까지 하면 더 힘들었을 텐데
정말 다행이다

엄마도 다행인 것은
네가 떠나고 난 다음 하루하루 지날 때마다
슬픔의 무게가 1그램씩 줄어드는 것 같아
널 보낸 슬픔 얼마나 큰지
지금은 헤아릴 수 없지만
시간이 지날 때마다

조금씩 널 보낸 아쉬움 옅어질 거야

이제야 말하는 거지만
너는 내가 널 낳은 엄마인 줄 알고
언제나 아가처럼 졸졸 따라다녔잖아
하지만 나는 사람 너는 강아지였기에
내가 너를 낳을 순 없었던 거야
그래도 나는 니가 생각했던 것처럼
너의 엄마였다고 말해주고 싶어

진주야
엄마 강아지 진주야
너와 함께했던 시간 잊지 않을게
이제 정말 안녕!

낭만의 달

11월이면
낙엽 타는 냄새가 난다
나날이 낙엽 끌어모아
태우기를 반복하셨던
시골집 어머니와 양 집사님
낙엽 태우는 일
낭만인 줄 모른 채
습관처럼 했을테지만
낙엽 타는 냄새 맡으면
커피 향 나면서
코끝에 낭만이 앉는다

화이트 크리스마스

흩날리는 눈 소박하게 쌓이던 날
냉면 먹으러 가는 길

하늘에서 흩어지는
하얀 눈송이 받아먹으니
사르르
사르르
혀 위에 녹아내리는
무설탕 얼음과자
화이트 크리스마스 맛이었다

냉면 집 티브이에서
내일까지 폭설이 이어질 거란다

뜨거운 육수로 입안을 데우고
차가운 냉면 한입 두입
살얼음 동동거리는 국물까지 마시니
화이트 크리스마스 맛이었다

따로 또 함께

너는 너의 길을
나는 나의 길을
걷고 있었다

어느 날 너와 나
교차로에서 만나
애기 나누다가
너는 나를
따라오고 싶어 했고
나는 너를
따라가고 싶어 했다

같이하고픈 마음
서로 간절했지만
아쉬움의 옅은 미소 띠고

너는 너의 길을
나는 나의 길을
걸어가면서
우린 또 우리의 길을
함께 걷고 있다

연극을 보며

관객 앞에서
울고 웃는 주인공
웃어야 할 때 활짝 웃고
울어야 할 때 슬프게 울고

예쁘게 보든
밉게 보든 상관없이
한없이 기쁘고 슬프게
대본대로 살아 낸다

사랑하라면 사랑하고
헤어지라면 헤어지고
결혼하라면 결혼하고
죽으라면 죽어보고

대본대로 사는 인생

고민할 일 없을 텐데
대본 없는 우리의 길
고민할 일 많고 많다

포도나무의 기도

곱게 두 손 모은 포도나무
간절한 맘으로 기도 드린다

이 몸에 벌건 감 달아 주옵소서
커다란 배 달아 주옵소서

봄부터 기도하던 포도나무
여름 지나 가을맞이하며
감나무에 감 달리고
배나무에 배 열리고
제 몸에 보랏빛 포도 달린 음성 듣고
깍지 낀 두 손 풀고 새 기도 드린다

다디단 포도 되게 하옵소서
다른 이들 즐겁게 할
맛있는 포도 되게 하옵소서

해우소

오대산 월정사에서 들렸던 해우소
풀 해, 근심 우, 장소 소
근심을 풀어주는 곳이란다

참느라 낑낑대던 근심을
해결하는 좋은 곳이란다
들어가기 전과 나올 때 기분을
하늘만큼 땅만큼 차이나게 하는 곳이란다

어디에 마음의 근심 풀어낼 해우소 없는가
참기 힘들게 마려운 고통
기꺼이 뱉어낼 수 있는 해우소 있다면
백두산보다 더 멀리 있다 해도
빠른 걸음으로 달려가
묵은 근심 뱉어내고 싶나
근심 풀어낼 해우소가 있기만 하다면

님 마중

님께선 하루도 거르지 않고
제 마음에 찾아와
소리 없이 거닐어 주십니다

졸업식 날 개근상 타려는 학생처럼
출근부에 도장 찍는 회사원처럼
날마다 제 마음에 찾아오십니다

찾아오는 일
이제 지칠 때도 되었건만
맑은 날 흐린 날 가리지 않고
하루도 거르지 않습니다

먼발치에서
님 모습 보이면
버선발로 달려가 맞이할 줄 아시고

당당하게 오십니다

오셔서 허탕 치면 안 되니까
님 오기 전엔 외출하지 않고
창문 활짝 열고 기다립니다

소나무와 전나무가 어울리듯
어우렁더우렁 어깨동무하고
소풍 나온 이 세상에서
모두가 잘 되었으면 좋겠어요

6
장

거
정
하
지

말
아
요

또 다른 너

너그러운 척 허허
부드럽게 웃음 지으며
머리로는 계산하며 이익 따지고

위하는 척 고개 까딱까딱
눈치채지 못하게 눈웃음치며
자신만 위하느라 정신이 없네

겸손한 척 굽실굽실
다정하게 다가와
내 주머니 제 것 만들어 놓고
배불러 하네

이래저래 나는 지독한 사람 냄새
멀리 있을 땐 냄새 안 나더니
가까이 가니 냄새가 나네

인생 노트

어디까지 왔는지
얼마만큼 남았는지
계산할 수 없어도

아껴 먹는 사탕처럼
부드럽게 살살 녹여 가며
남은 인생 노트에
모두 내려놓아요

아름다운 사랑 이야기
땀 흘리는 삶의 이야기
살아가는 쿰쿰한 이야기로
예쁘게 수 놓아 봐요

미용실 거울

예쁘장한 손
부지런히 움직이는 아줌마
미용실 가득 찬 손님 머리 만지며
웃음꽃 피워낸다

머리 값 집어넣는
앞치마 주머니
불룩한 올챙이 배 닮았다

저리도 부지런하고
돈 많이 버는 아줌마가
매 맞고 사는 아내라니
그녀 남편은 아무 일 하지 않고
앞치마에서 돈 꺼내
기름값 내고 다니는
속 편한 사람이란다

뭐가 모자라서 그리 사느냐고
아주 갈라서 버리라고
머리 맡기던 아낙들 소리쳐대도
웃기만 하는 아줌마

옹기종기 파마머리들
한소리씩 더해가는데
좋아하는 사람에겐 있는 것 다 주어도
아깝지 않다는 걸 아는 거울은
가위질하는 아줌마 옆 모습만
비추고 있다

상상 속에 머무는 찻집

따뜻한 차 마시고 싶은데
시간 없다 말하지 말고
돈 없다 핑계 대지 말자

함께 가고픈 사람 있는데
너무 멀리 있다 둘러대지 말자

지금 당장 커피 마시러
빛바랜 창가 있는
오래된 찻집에 가자

푹신한 의자에 수줍음 앉히고
두 손으로 찻잔 어루만지며
함께 하는 사람과 수다 떨어보자

창밖에 서 있는 나무 바라보고

지나가는 빨간 자동차도 바라보자
상상 속에서 가는 찻집엔
좋아하는 사람하고만 가자

가장 환한 빛

가물거리는 호롱불 아래
길쌈하던 아낙네
호롱불 없었으면 어찌했을꼬
고마운 마음으로 힘든 줄 모르고
구슬땀 닦아내며
베틀 바삐 움직였다

전깃불 들어오던 날
호롱불 담아내던 등잔
마루 밑 누렁이 장난감 되자
어메 환한 것 이렇게 밝아지다니
베틀 대신 재봉틀 운전하던 아낙네
함박웃음 지으며 콧노래 불렀다

둥둥 떠오른 해 환하게 웃던 시간
호박잎 따다 쪄 먹으려고

소쿠리 이고 들로 나가던 아낙네
아이고 눈부셔라
손바닥 일자 펴 경례하고
실눈 뜨며 기죽었다

어둠 조금 훔친 호롱불 아닌
호롱불 먹어 버린 전깃불 아닌
전깃불 삼켜 버린 햇빛 아래서
탱글탱글 영근 알갱이들
가장 환한 빛은 해님이야
목청 높여 합창한다

나무의 자장가

봄향기
진한 속삭임으로
뾰족뾰족
생명 피워내는

한여름
퍼붓는 햇살 아래
짓누르는 시련 견뎌내는

가을의
풍성함 머리에 이고
울긋불긋
주렁주렁
가지마다
넉넉한 열매 맺는

겨울철
바람이 매질할 때
맨살 드러난 몸뚱이
아리지만
묵묵히 견뎌내는

계절 따라
속삭이는
나무의 소리

아무 말 하지 말고
걸으렴
슬픈 소리
한숨 소리
볼멘 소리
소리를 내는 건 좋지 않아

그냥

그 자리에 나처럼

묵직하게 서 있어 봐

나무의 자장가 소리에

부끄러움 한숨 욕심

모두 침 흘리며

달콤한 오수에 젖는다

바람 때문에

휭휭
소리내며
나뭇가지 흔드는 바람
바람 따라 이리저리
흔들리는 나뭇가지

봄바람에 흔들릴 땐
살랑거리더니
태풍 앞에선
허리가 휘어져라
심한 내두름

너를 위한 배려

떠날 때 위해
가방을 챙겨놓자
떠날 때 알리는
신호음 듣고나서
허둥대다 보면
일부러 아니어도
빠뜨리고 말아
내 물건 찾아주러
나 따라 오는 이
돌아갈 때 외로워서
가는 발에 눈물 가득

막차에 몸 싣고

돌아가기 아쉬워
안간힘 쓰다가
마지막 열차에 몸을 싣네

막차 놓치면
영영 못 돌아갈까 봐
눈물 삼키며 기차에 타네

떠나올 땐 힘들어도
돌아와선 잘했다
무릎을 치네

투명인간

투명인간 되면 좋겠다고
생각한 적 있다

억울한 소리 해대는
사람 만났을 때
투명인간 되면
살살 따라가 뒤통수 한 대
때려 주고 싶었다

오늘 또 투명인간 되면 좋겠다고
두 눈 꼭 감으며 생각했다
투명인간 될 수 있다면
남들이 보지 못할 테니까

그댈 따라다니며

두 손 꼭 잡고 지내고 싶다

그대가 나른할 땐

어깨 주물러 주고

차 마실 땐 찻물을 데워주고

호수

물속에 하늘 깊숙이 박혀 있고
산이 거꾸로 들어가 있다
전봇대도 거꾸로
버스도 거꾸로
자동차도 거꾸로

혼자 바로 앉아
모든 것 거꾸로 만들어 버리는
호수가 부리는 마술
잔물결 일으키는 호수 위에
거꾸로 뒤집히는 세상은
재주 많은 곡예사

집착

이미 내 안에 있는 줄 모르고
한없이 채워 넣으려
안간힘 쓰는 우리

비었다 생각하니
한없이 채워도
배부른 줄 모른 채
자꾸만 움켜쥐려 발버둥

권력을 위해
재산을 위해
명예를 위해
사랑을 위해

이런 잔소리해요

하나에서 열까지
너에게 자주 하는 말
왜 자꾸 그러는 거니
하지 말라고 했잖아
한 번만 더 그래 봐 내쫓을 거야
하라면 하지 말대꾸는 왜 해
무례하게 굴지 마
공부 열심히 하면 네가 좋잖아
하지 않아도 될 자질구레한 말들
우린 자꾸 반복하곤 하지

이제부턴 하나에서 열까지
너를 위해
이런 말 하고 싶어
오늘 기분은 어때
너의 미래는 열려 있어

행복해질 수 있는 길을 찾으면 돼
네가 내 아들이고
네가 내 딸이라서
참 좋아
너와 함께라면
엄마는 지옥이라도 즐거울 거야
너는 이 세상에 단 하나뿐인
값진 보석이야
하면 할수록 기분 좋은 말들
앞으론 네가 좋아할 잔소리만
실컷 하고 싶어

모두가 잘 되었으면

지난날이 슬퍼서
글 속에 눈물 그렁그렁 맺힌 사람
지나간 시간도 의미 있으니
너무 슬퍼 말아요

지금 힘들어서
글 속에 더운 김 펄펄 나는 사람
견딜 수 있음에 감사하며
조금만 더 힘 내봐요

앞으로 힘들어질까 봐
글 속에 회색빛 가득한 사람
다가오지 않은 일 미리 당겨와
미리 걱정하지 말아요

소나무와 전나무가 어울리듯
어우렁더우렁 어깨동무하고
소풍 나온 이 세상에서
모두가 잘 되었으면 좋겠어요

白雪

하얀 눈 쌓인 세상
내 마음도 저렇게 깨끗하면
얼마나 좋을까

시대를 탓하고
세월 탓해보지만
거뭇해진 것은 결국
남의 탓 아니라 내 탓인 것을

어린아이처럼 순수하고
白雪처럼 흰 마음으로
한결같이 살아가고 싶다

내가 시를 쓰는 이유
마음이 어두워지지 않기 위해

시를 좋아해서
자주 읽는 당신,
당신도 이미 시인이다.

나는 무엇이 되고 싶은가?
사람이 되고 싶지.
글 쓰는 사람이.

춘심이 언니

발　행 | 2024년 3월 28일
저　자 | 김경희
펴낸이 | 한건희
편　집 | 김경희
펴낸곳 | 주식회사 부크크
출판사등록 | 2014.07.15.(제2014-16호)
주　소 | 서울특별시 금천구 가산디지털1로 119 SK트윈타워 A동 305호
전　화 | 1670-8316
이메일 | info@bookk.co.kr

ISBN | 979-11-410-7654-2

www.bookk.co.kr